Le robot amoureux

Stéphane Descornes • Mérel

Rachid le timide

Mélanie la chipie

Pacha le chat

Pascale la géniale

Arthur le gros dur

ES-tu prêt pour
une nouvelle aventure ?
Eh bien, commençons !

Ah, j'y pense!
les mots suivis
d'un ☼ sont
expliqués à la fin
de l'histoire.

Pascale a construit un robot génial. Il s'appelle Alfred.
Et il fait tout dans la maison.

Alfred fait la cuisine,
il range, lave le linge, repasse,
prépare les repas.
Pascale l'adore !

5

Le robot amoureux

Mais un jour d'orage, Alfred reçoit
un coup de foudre...
Et patatras !
Il tombe amoureux...
de Pascale !

Que va-t-il se passer
maintenant ?

Alfred ne fait plus rien dans la maison.
Mais il suit Pascale partout.
À l'école, à la piscine, dans la rue !
Pascale en a assez !

Elle appelle ses amis :

– Au secours ! Mon robot est devenu fou !

– Il faut débrancher Alfred !
dit Mélanie.
– Attrapons-le ! s'écrie Arthur.

Le robot amoureux

À l'attaque !
Arthur agrippe Alfred.
Mais le robot tourne comme
une toupie...
et Arthur doit lâcher prise !

Tu veux connaître
la suite de l'histoire ?
Alors, suis-moi...

Pacha sort ses griffes et bondit
sur le robot. Rachid l'aide...
Mais d'un simple geste, Alfred
les projette au loin tous les deux !

Gafi décide d'intervenir.
Il surgit devant le robot
et il lance ces mots magiques :
– Robot-stopo-illico !

Victoire ! Alfred s'arrête net,
figé comme une statue.

– Bravo Gafi ! Tu es le meilleur !
clament tous ses amis.

Le robot amoureux

– Que va-t-on faire d'Alfred ?
demande Arthur. On va le démolir ?...
– ... et le vendre à la casse ?
propose Mélanie.

Non ! Pascale a une meilleure idée !

Quelle est l'idée géniale
de Pascale ?

Elle attrape un chapeau de paille,
et elle transforme Alfred...
en épouvantail !
– Mettons-le dans le jardin, dit Rachid.
Pour chasser les corbeaux !

Mais Alfred est-il bien débranché ?
Pas sûr !

Quand il voit Gafi, Alfred l'épouvantail
se met à bouger. Il tend ses bras vers
le fantôme et...

... il veut l'embrasser !
Au secours ! Alfred l'épouvantail
est tombé amoureux de Gafi !

c'est fini !

Certains mots
sont peut-être
difficiles à comprendre.
Je vais t'aider !

Avoir un coup de foudre :
C'est tomber amoureux
dès le premier regard.

Projeter : C'est jeter avec
force. C'est aussi envoyer
des images sur un écran grâce
à un projecteur.

Figé : Immobilisé.

La casse : C'est l'endroit où
on se débarrasse des voitures
ou des machines après avoir
récupéré les pièces
qui fonctionnent encore.

As-tu aimé mon histoire ? Jouons ensemble, maintenant !

Sens dessus dessous

Reconstruis Alfred le robot et trouve la vignette en trop.

Ah ! l'amour...

Le robot Alfred a envoyé un courrier à Pascale !
Les voyelles ont été remplacées par des cœurs.
En t'aidant du code, déchiffre le courrier.

♥ = A   ♥ = E   ♥ = I
♥ = O   ♥ = U

P♥SC♥L♥,

J♥ T'♥♥M♥ ♥T J♥ V♥♥X
M♥ M♥R♥♥R ♥V♥C
T♥♥ !

♥LFR♥D

Devinette

Trouve dans l'histoire à qui appartiennent les vêtements étendus sur le fil.

Réponse : Le tee-shirt est celui de Mélanie, le pantalon est à Arthur, le pull-over est à Rachid.

Cache-cache

Retrouve **Alfred** parmi tous ces épouvantails :
il a un chapeau jaune, une veste à carreaux
bleue, un pantalon vert et ne porte pas de
nœud papillon.

Réponse : Alfred est en haut à droite.

Dans la même collection
Illustrée par Mérel

Je commence à lire

1- *Qui a fait le coup ?* Didier Jean et Zad • 2- *Quelle nuit !* Didier Lévy • 3- *Une sorcière dans la boutique*, Mymi Doinet • 4- *Drôle de marché !* Ann Rocard • 15- *Bon anniversaire, Gafi !* Arturo Blum • 16- *La fête de la maîtresse*, Fanny Joly • 23- *Gafi et le magicien*, Arturo Blum • 24- *Le robot amoureux*, Stéphane Descornes • 29- *Une drôle de robe !* Elsa Devernois • 30- *Pagaille chez le vétérinaire !* Stéphane Descornes • 35- *Le nouvel élève*, Anne Ferrier • 36- *Le visiteur de l'espace*, Stéphane Descornes

Je lis

5- *Gafi a disparu*, Didier Lévy • 6- *Panique au cirque !* Mymi Doinet • 7- *Une séance de cinéma animée*, Ann Rocard • 8- *Un sacré charivari*, Didier Jean et Zad • 13- *Le château hanté*, Stéphane Descornes • 14- *Attention, travaux !* Françoise Bobe • 19- *Mystère et boule de neige*, Mymi Doinet • 20- *Le voleur de bonbons*, Didier Jean et Zad • 25- *Le roi de la patinoire*, Didier Lévy • 26- *Qui a mangé les crêpes ?* Anne Ferrier • 31- *Le passager mystérieux*, Françoise Bobe • 32- *Un fantôme à New York*, Didier Lévy • 37- *Des clowns à l'hôpital*, Françoise Bobe • 38- *Gafi, star de cinéma !* Didier Lévy

Je lis tout seul

9- *L'ogre qui dévore les livres*, Mymi Doinet • 10- *Un étrange voyage*, Ann Rocard • 11- *La photo de classe*, Didier Jean et Zad • 12- *Repas magique à la cantine*, Didier Lévy • 17- *La course folle*, Elsa Devernois • 18- *Sauvons Pacha !* Laurence Gillot • 21- *Bienvenue à bord !* Ann Rocard • 22- *Gafi et le chevalier Grocosto*, Didier Lévy • 27- *Qui a kidnappé la Joconde ?* Mymi doinet • 28- *Grands frissons à la ferme !* Didier Jean et Zad • 33- *Les chocolats ensorcelés*, Mymi Doinet • 34- *Au bal costumé*, Laurence Gillot • 39- *Mélanie la pirate*, Stéphane Descornes • 40- *Sous les étoiles*, Elsa Devernois

Directeur de collection et conseil pédagogique :
Alain Bentolila

Jeux conçus par Georges Rémond

© Éditions Nathan (Paris-France), 2007
Loi n°49956 du 16 juillet 1949
sur les publications destinées à la jeunesse
ISBN 978-2-09-251257-9
N° éditeur : 10167278 - Dépôt légal : février 2010
Imprimé en France par Loire Offset Titoulet à Saint-Etienne